Ingo Siegner

Der kleine Drache Kokosnuss
im Spukschloss

Ingo Siegner

Der kleine Drache Kokosnuss
im Spukschloss

cbj ist der Kinder- und Jugendbuchverlag
in der Verlagsgruppe Random House

Verlagsgruppe Random House FSC® N001967
Das für dieses Buch verwendete FSC®-zertifizierte Papier
Condat matt Perigord liefert die Papier Union GmbH.

Gesetzt nach den Regeln der Rechtschreibreform.

9. Auflage
© 2008 cbj, München
Alle Rechte vorbehalten
Umschlagbild und Innenillustrationen: Ingo Siegner
Lektorat: Hjördis Fremgen
Umschlagkonzeption: Basic-Book-Design, Karl Müller-Bussdorf
hf · Herstellung: WM
Satz und Reproduktion: Lorenz & Zeller, Inning a. A.
Druck: Polygraf Print
ISBN 978-3-570-13039-1
Printed in Slovak Republic

www.cbj-verlag.de
www.drache-kokosnuss.de

Inhalt

Gewitter im Klippenwald

Seit Stunden marschieren der kleine Feuerdrache Kokosnuss und das Stachelschwein Matilda durch den Klippenwald, um Drachenkraut[1] zu sammeln.

»Es ist schwer zu finden, hat Mama gesagt«, brummt Kokosnuss. »Aber dass es überhaupt nicht zu finden ist, hat sie nicht gesagt.«

»Mir tun schon die Pfoten weh«, sagt Matilda.

»Ist dir aufgefallen«, bemerkt Kokosnuss, »wie still es hier im Wald ist?«

Matilda horcht: »Stimmt, nicht mal Vogelgezwitscher. Merkwürdig.«

So sehr sich die beiden Freunde anstrengen, sie hören nicht einmal das leiseste Rascheln. Seltsam. In einem Wald kreucht und fleucht und wimmelt und wuselt es doch normalerweise von morgens bis abends.

---

[1] Drachenkraut verwenden die Drachen zum Würzen von Speisen und als Heilmittel bei Erkältung und Gliederschmerzen.

Bald bricht die Nacht herein. Plötzlich, wie aus dem Nichts, trappelt etwas, ganz in ihrer Nähe. Die beiden zucken zusammen. Im fahlen Mondlicht erkennen sie eine Rattenfamilie, die eilig durch das Unterholz läuft.

»Heda!«, ruft Kokosnuss. »Wohin so eilig?«

Der Rattenvater wendet sich um: »Na, weg von hier, bevor es Mitternacht schlägt!«

Und schon sind die Ratten im Dunkel des Waldes verschwunden.

»Pfff! Mitternacht!«, brummt Kokosnuss. »Was soll denn da sein?«

Matilda schaut sich um. Plötzlich ist ihr ziemlich mulmig zumute. »Vielleicht sollten wir ihnen folgen. Die laufen doch vor irgendetwas davon.«

In diesem Augenblick kommt heftiger Wind auf. Kokosnuss blickt in den düsteren Himmel.

»Ein Unwetter. Lass uns lieber einen Unterschlupf für die Nacht suchen.«

Im Gewitterwind bewegen sich die Baumkronen bedrohlich wie dunkle Riesen. Schwarze Wolken türmen sich über dem Wald. Schon bricht das

Gewitter los. Dicke, kalte Regentropfen prasseln
auf die Freunde herab. Da sieht Kokosnuss ein
Licht durch die Bäume schimmern.
»Schau mal, dort hinten«, sagt der kleine Drache.
»Vielleicht ist das eine Hütte. Komm, spring auf!«
Durch den peitschenden Regen fliegt Kokosnuss
mit Matilda auf dem Rücken auf das Licht zu.

Bald haben sie den Waldrand erreicht.
Eine Wiese führt bis hinauf zu den
Klippen. Seltsam, das Licht ist erloschen,
aber dort oben, am Ende der Wiese,
erblicken sie etwas anderes: Vor ihnen,
unter den nachtschwarzen Wolken,
erhebt sich ein Schloss.

Schloss Klippenstein

Langsam nähern sich die beiden Freunde dem mächtigen Schlosstor.

»Sieh mal!«, sagt der kleine Drache. »Das Tor steht offen!«

»Wollen wir nicht lieber wieder in den Wald zurückgehen?«, flüstert Matilda. Sie hat ein sehr seltsames Gefühl im Bauch.

»Warum denn, Matilda? Da drin ist es bestimmt warm und trocken. Und bestimmt ist jemand zu Hause. Vielleicht bekommen wir ja einen heißen Tee.«

»Na gut«, seufzt das Stachelschwein.

Vorsichtig durchqueren sie den Schlosshof. Plötzlich fällt hinter ihnen – Rumms! – das Tor zu. Matilda zuckt zusammen.

»Das war nur der Wind«, sagt Kokosnuss. Durch eine hohe Tür gelangen sie ins Schloss und in einen großen Saal. Alte Holzdielen ächzen unter ihren Schritten. In der Mitte steht ein riesiger

Tisch. Als ein Blitz über
den Himmel zuckt, sehen
sie eine alte Standuhr,
deren Pendel stillsteht,
und einen Kamin am
Ende des Saales.

»Hallo? Ist hier jemand?«,
ruft Kokosnuss.
Niemand antwortet.
Plötzlich fällt auch die Tür
hinter ihnen zu.
»Schon wieder!«, flüstert Matilda. Sie zerrt an
der Klinke, doch die Tür ist fest verschlossen.
»Hier spukt es doch!«
»Quatsch mit Soße«, erwidert Kokosnuss. »Die
Tür ist einfach nur ins Schloss gefallen.«
Der kleine Drache nimmt einen der Leuchter
vom Tisch und entzündet mit einem Feuerstrahl
die Kerzen. Vorsichtig gehen die beiden Freunde
durch die Gänge des Schlosses. Überall riecht
es muffig und zwischen den Möbeln hängen
riesige Spinnweben.

»Hier könnte mal wieder Staub gewischt werden«,
bemerkt Kokosnuss.
»Ich finde es unheimlich hier«, flüstert Matilda.

»Ich meine – erst das Licht und dann das offene Tor, aber keiner ist zu Hause! Da stimmt doch etwas nicht!«

»Ach was, Matilda, es ist einfach nur ein Schloss, durch das der Wind pfeift. Sieh mal, eine Treppe!«

Eine breite Wendeltreppe führt in den ersten Stock. Oben kommen sie in einen langen Flur, an dessen fensterloser Seite große Ölgemälde hängen.

»Eine Galerie«, flüstert Matilda.

»Lauter Porträts«, murmelt Kokosnuss und hebt den Kerzenleuchter. »Da stehen auch die Namen dran. Guck mal, der hier heißt Klemens Käsefuß von Klippenstein!«

»Und die daneben Klarissa Klappezu von Klippenstein, hihi«, grinst Matilda.

»Schau mal, der hier: Hugo Huckebuckel von Klippenstein. Und der da oben heißt Knut Knäckebrot von Klippenstein, hihi.«

»Uii«, staunt Matilda. »Die hier sieht aber grimmig aus! Klemenzia Klabuster von Klippenstein.«

Plötzlich zuckt das Stachelschwein zusammen.

»Was hast du denn?«, fragt Kokosnuss.

»Diese Klemenzia hat eben ihre Lippen bewegt!«, flüstert Matilda.

In diesem Augenblick ertönt ein lautes Gurgeln. Zu Tode erschrocken, springt Matilda mit einem Riesensatz hinter eine Truhe.

»Wa-was war das denn?«, stottert das Stachelschwein.

»Das war mein Magen, du Känguru«, antwortet Kokosnuss. »Komm, wir gehen hinunter und essen erstmal etwas.«

Unten im Saal entzündet der kleine Drache das
Kaminholz. Die beiden Freunde machen es sich
bequem und rösten die Maronen, die sie am
Nachmittag gesammelt haben. Draußen stürmt
und donnert es. Hier drinnen aber, am pras-
selnden Kaminfeuer, ist es warm und gemütlich.
Kokosnuss gähnt: »Jetzt lass uns schlafen.«
In diesem Moment ertönt ein lautes DONG! Die
Freunde zucken zusammen. DONG! Schon
wieder! DONG! Die große Standuhr!? DONG!

Die stand doch eben noch still! DONG! Hat jemand sie aufgezogen? DONG! Aber wer? DONG! Auweia! DONG! Das geht nicht mit rechten Dingen zu! DONG! Da stimmt was nicht! DONG! Da ist was faul! DONG! Was hat das zu bedeuten? DONG!

Plötzlich ist es still.

»W-weißt du, wie oft die Uhr ge-geschlagen hat?«, flüstert Matilda. »Ge-ge-genau zwölfmal! Wei-weißt du, wa-wa-was das heißt?«

»Keine Ahnung«, sagt Kokosnuss.

»Gei-Gei-Gei-Geisterstunde!«, haucht Matilda kaum hörbar. »Bloß weg hier!«

»Matilda, selbst wenn dies ein Spukschloss wäre, was soll uns schon passieren? Vor Gerd haben wir uns doch auch nicht gefürchtet.«[2]

»Ja, aber ... hier ist das irgendwie anders. Hier ist alles so gruselig«, erwidert Matilda und blickt sich ängstlich um.

---

[2] Siehe »Der kleine Drache Kokosnuss und der große Zauberer«. Dort treffen Kokosnuss und Matilda ein Gespenst namens Gerd.

Klemenzia Klabuster
von Klippenstein

Langsam quietschend öffnet sich eine Tür. Ein
kalter Hauch zieht durch den Saal.
»Was war das?«, flüstert Matilda.
Der kleine Drache blickt in die gegenüberliegen-
de Ecke des Saales. Dort atmet doch jemand!
Plötzlich knarren die Dielen. Das Knarren
kommt näher.
»I-Ist d-da jemand?«, fragt Kokosnuss. Und
obwohl der kleine Drache versucht, mit fester
Stimme zu sprechen, hört er sich ziemlich zittrig
an. »Matilda, spring auf!«
Das lässt sich das Stachelschwein nicht zweimal
sagen. Kaum sitzt es auf dem Drachenrücken,
fliegt Kokosnuss zu einem der Fenster. Er versucht,
es zu öffnen, doch der Riegel sitzt fest. Da ertönt
ein schauderhaftes Gelächter und ein Fenster
auf der anderen Seite springt auf. Der kleine
Drache fliegt hinüber, doch das Fenster schlägt

direkt vor seiner Nase zu. Wieder erschallt das Gelächter. Kokosnuss saust durch die Tür und hinauf ins erste Stockwerk.

Als sie an den Bildern vorbeikommen, ruft Matilda: »Sieh mal! Klemenzia von Klippenstein ist aus ihrem Bild verschwunden!«

Tatsächlich! Auf
dem Gemälde ist
nur ein leerer
Sessel zu sehen!
Da weht ein
kalter Hauch an
ihnen vorbei.
Und was war das?
Hörte sich das nicht
an wie Kettenrasseln?
Erschrocken blicken Kokos-
nuss und Matilda auf das Ende
des Flures. Dort steht eine helle,
von einem Tuch verhüllte Gestalt.
»Ein Ge-Gespenst«, flüstert Kokosnuss.
Da spricht die Gestalt mit einer bedrohlichen,
heiseren Stimme: »Ich bin Klemenzia Klabuster
von Klippenstein, Ururenkelin des Klemens
Käsefuß von Klippenstein, Urenkelin der Klarissa
Klappezu von Klippenstein, Enkelin des Hugo
Huckebuckel von Klippenstein und Tochter des
Knut Knäckebrot von Klippenstein!«

Mit einem Mal löst sich das Gespenst in Luft auf.
Plötzlich ist es still.

»Hast du gesehen?«, flüstert Kokosnuss. »Die ist
durchsichtig, genau wie Gerd.«

»Aber die ist viel gruseliger«, raunt Matilda.

In diesem Augenblick kommt ein Furcht erregen-
der Totenkopf auf sie zu. Aus seinen Augen quillt
leuchtend gelber Qualm. Das ganze Schloss
erzittert und ein grauenvoller Schrei hallt von
seinen Mauern wider.

Der kleine Drache fliegt, so schnell er kann, vor
dem Totenkopf davon.

»Wohin bloß?«, schreit Matilda.

»Ich weiß schon!«, ruft Kokosnuss.

Er saust die Treppe hinab, doch da
kommt ihm etwas entgegen.

»Was ist das?«, ruft Matilda.

Die beiden trauen ihren Augen
nicht: Es ist der Totenschädel, der
sich in diesem Moment in das
Gespenst Klemenzia verwandelt! Mit
wehendem Tuch zischt es unter ihnen hindurch.

Kokosnuss speit Feuer, doch da ist Klemenzia
schon verschwunden.

Der kleine Drache fliegt in den Schlosssaal.
Hinter ihm schlägt die Tür zu. Es blitzt und
donnert und plötzlich steht Klemenzias Körper
vor ihnen. Ihr Kopf kommt von der anderen Seite
durch die Mauer geflogen und ruft: »Jetzt seid
ihr in der Falle!«

Da flüstert Kokosnuss: »Matilda, hol tief Luft und
schließ die Augen!«

»Was hast du vor?«

»Tu, was ich sage, jetzt!«

Das Stachelschwein atmet zweimal tief durch,
hält die Luft an und schließt die Augen. Kokosnuss fliegt einen Salto, flattert durch Klemenzia
hindurch und saust in den Kamin hinein.

Klemenzia schreit auf und fliegt hinterher.

»Aua, ist das heiß!«, ruft Matilda.

Der kleine Drache rast durch den verqualmten
Schornstein hinaus ins Freie. Frische Luft! Die
beiden atmen tief durch. Da ertönt ein Schrei.
Klemenzia ist ihnen dicht auf den Fersen. Sie

nimmt ihren Kopf und wirft ihn hinter den beiden
her. Boing, getroffen!
»Aua!«, schreit Matilda.
Klemenzias Kopf kullert fluchend auf die Wiese.
Kokosnuss aber fliegt, so schnell ihn seine Flügel
tragen, mit Matilda in den Wald hinein.

Bei Familie Dachs

Erschöpft landet der kleine Drache im Klippen-wald.

»Puh, das ist noch mal gut gegangen«, seufzt Matilda.

Die beiden schauen sich um und lauschen. Das Gewitter hat sich verzogen. Kein Lüftchen regt sich. Die Bäume stehen still.

»Hm, genau wie vorhin«, murmelt der kleine Drache. »Totenstill. In diesem Wald scheint nicht einmal ein Regenwurm zu wohnen.«

Da reckt Matilda den Hals: »Was war das?«

»Was denn?«, fragt Kokosnuss.

»Dort hinten! Zwischen den Bäumen hat sich etwas bewegt!«

Plötzlich ertönt ein klagendes Geheul: »Hu-huuuuu! Huhuuuuu!«

»D-d-das Ge-Gespenst!«, stottert Matilda.

Jetzt raschelt es im Unterholz. Die beiden Freunde zucken zusammen. Sie wagen kaum zu atmen. Das Rascheln kommt immer näher.

Da kommt ein Dachs hervorgekrochen. Erleichtert atmen die Freunde aus.

»Hast du uns erschreckt!«, sagt Kokosnuss.

Der Dachs schüttelt den Kopf.

»Ts, ts, hier in der Nacht herumzuspazieren! Seid
ihr von allen guten Geistern verlassen?«

»Schön wär's«, entgegnet Matilda. »Im Gegen-
teil: Wir werden von einem Gespenst namens
Klemenzia verfolgt.«

Der Dachs sieht sich verstohlen um und flüstert:
»Kommt mit!«

Über versteckte Pfade führt er die beiden Besucher bis zu einer windschiefen Hütte am Waldrand. In der Ferne ragt das Schloss in den dunklen Nachthimmel.

»Hier wohnen wir«, erklärt der Dachs. »So haben wir Schloss Klippenstein immer im Blick. Unsere Familie erforscht das Spukschloss schon seit Jahrhunderten. Wir Dachse sind sozusagen Gespenster-Experten. Bitte, kommt herein!«

Als Kokosnuss gerade die Hütte betreten will, nimmt er eine Bewegung wahr. Was war das? Der kleine Drache schaut um die Ecke. Nichts zu sehen.

Seltsam, da war doch etwas? Ach, jetzt sehe ich schon Gespenster, wo gar keine sind, denkt er und folgt den anderen.

In der Hütte ist es urgemütlich. Die ganze Familie – Mutter Dachs, Kind Dachs und die Großeltern – sitzt in der Stube und lässt sich frisch gebackenen Kuchen schmecken. Wie herrlich der duftet!

»Da bist du ja endlich, Willi!«, ruft Mutter Dachs.

»Wen hast du denn da mitgebracht?«

»Einen Feuerdrachen und ein Stachelschwein«, antwortet Willi Dachs. »Stellt euch vor, die beiden waren im Schloss!«

»Die Ärmsten!«, sagt Mutter Dachs. »Setzt euch und esst ein Stück Kuchen. Es ist reichlich da!«

»Wie seid ihr denn aus dem Schloss wieder herausgekommen?«, fragt der Großvater.

Da erzählen Kokosnuss und Matilda von ihrem Abenteuer mit Klemenzia und davon, dass sie ihr durch den Kamin entwischt sind.

»Durch den Kamin!«, grinst Großvater Dachs. »Das ist ja eine dolle Nummer!«

»Aber dann«, berichtet Matilda, »hat Klemenzia uns im Wald aufgelauert!«

Die Dachse schütteln die Köpfe.

»Ach«, seufzt Mutter Dachs. »Seit sie auch noch im Wald spukt, sind die Nächte hier unerträglich geworden.«

»Sind die Tiere deshalb aus dem Wald weggezogen?«, fragt Kokosnuss.

»Genau«, antwortet Willi Dachs. »Und auf

ihrem Schloss hat Klemenzia niemanden, den
sie erschrecken kann. Wahrscheinlich spukt sie
deshalb im Wald herum. Hm, eigentlich merkwürdig, denn Schlossgespenster verlassen für-
gewöhnlich ihr Schloss nicht.«

»Wenn ihr mich fragt«, sagt Großmutter Dachs
und schaut nachdenklich über den Rand ihrer
Lesebrille hinweg, »der Klemenzia fehlt die
Gesellschaft. Sie ist mit den Jahren einsam und
griesgrämig geworden.«

»Den möchte ich sehen, der dieser Schreckschraube Gesellschaft leisten will!«, sagt Matilda. »Ha!«, lacht Großvater Dachs. »Bewerber gab es mehr als genug! Seit Jahren pilgern Gespenster aus aller Welt nach Schloss Klippenstein.«

»Wirklich?«, fragt Kokosnuss verblüfft.

»Das stimmt«, erklärt Willi. »Klippenstein ist ein bekanntes Spukschloss. Dort spuken zu dürfen, gilt unter Gespenstern als eine große Ehre. Aber Klemenzia hat bisher alle Bewerber vergrault.«

»Hihi, erinnert ihr euch an dieses eingebildete Gespenst aus England?«, kichert Großmutter Dachs. »Dem hat es Klemenzia aber gegeben!«

»Das aus Afrika passte eigentlich ganz gut zu ihr, aber Klemenzia hat es verjagt, weil es kein adeliges Gespenst war«, erinnert sich Mutter Dachs.

»Tja«, seufzt Willi, »bisher hat es kein Gespenst geschafft, Klemenzia einmal richtig zu erschrecken.«

»Wieso Klemenzia erschrecken?«, fragt Kokosnuss.

»Sie wird nur ein Gespenst akzeptieren, dem es gelingt, sie zu erschrecken«, antwortet Willi.

»Aber Klemenzia einen Schrecken einzujagen, ist schwierig. Sie ist ein Gespenst der Klasse ›1a Megaspuk‹. So eines fürchtet sich nur vor Vampirgeistern.«

»Vampirgeister?«, fragen Kokosnuss und Matilda.

»Das sind Geister, die die ganze Nacht lang spuken«, erklärt Willi. »Wenn ein Gespenst von einem Vampirgeist gebissen wird, dann wird es selbst zu einem Vampirgeist. Vor so einem Biss fürchtet sich jedes Gespenst, auch Klemenzia. Sie liebt zwar das Spuken, aber bloß nicht mehr als eine Stunde pro Nacht.«

»Die Geisterstunde«, murmelt Matilda.

»Genau«, sagt Willi. »Nach vielen Jahrhunderten haben sich die Gespenster auf die Geisterstunde geeinigt. Sie bringt eine geregelte Arbeitszeit und sorgt für eine gute Spuk-Qualität. Nur Vampirgeister brechen diese Regel und bringen damit alles durcheinander. Ein Glück, dass sie so gut wie ausgestorben sind.«

Da rennt das Dachskind zu einer kleinen Kiste, kramt ein Vampirgebiss heraus, steckt es in den Mund und ruft: »Buahhh! Grrrr!«

»Friedrich, du Frechdachs!«, sagt Willi streng. »Du sollst unsere Gäste doch nicht erschrecken!«

»Hihi«, grinst Matilda. »So ein Plastikgebiss habe ich auch zu Hause.«

»Sieht ja richtig echt aus«, staunt Kokosnuss, der sich ein wenig erschreckt hat.

In diesem Augenblick hören sie ein Poltern im Flur.

Ein alter Bekannter

»Was war das?«, fragt Kokosnuss.

Da! Wieder das Poltern. Alle sitzen stumm und starr. Nur der Pendelschlag der Wanduhr unterbricht die Stille.

Mutter Dachs flüstert: »Das war gestern Nacht auch schon!«

»Ich sehe mal nach«, raunt Vater Willi.

Leise schleicht der Dachs in den Flur. Kokosnuss, Matilda und der kleine Friedrich folgen ihm. Im Flur ist niemand, doch die Kellertür steht offen! Vorsichtig steigen sie die Kellertreppe hinab. Hier unten ist es finster wie in einem Bienenstock, doch bald haben sich ihre Augen an die Dunkelheit gewöhnt. Im Keller stehen Vorratsregale, ein Schrank und eine alte Truhe. Erst ist es ganz still, doch dann meint Kokosnuss, aus der Ecke hinter dem Schrank ein Atmen zu hören. Genauso ein Atmen wie vorhin im Schloss! Ein Schauer fährt durch seine Glieder.

Plötzlich erhebt sich ein scheußliches Geheule.
Die Freunde weichen erschrocken zurück. Hinter
dem Schrank schießt eine helle Gestalt hervor.
Sie kreist über ihren Köpfen und gibt die gruse-
ligsten Töne von sich: »Huhuhuuuuuu! Schü-
hüüüü! Buhooooo!«
Dabei zieht sie Grimassen und streckt ihre Zunge
heraus.
Kokosnuss, Matilda und die Dachse bleiben wie
angewurzelt stehen.

Wütend schwebt die Gestalt vor den Freunden in der Luft und zischt: »Grrrrr! Brrrrrrrrr! Spuki Spuki Spukibiduki!« Dabei verzieht sie ihr Gesicht zu einer hässlichen Fratze.

»Spukibiduki?«, wiederholt Kokosnuss.

»Jawohl! Spukibiduki! Grrrrr!«

Kokosnuss betrachtet die Gestalt genauer. Sie trägt eine feine, hellgrüne Joppe, orangefarbene Hosen und einen Strohhut. Und sie ist – durchsichtig!

Irgendwo habe ich dieses Gespenst schon mal gesehen, denkt der kleine Drache. Da fällt es ihm ein!

»Du bist doch Gerd!«

Die Gestalt erschrickt: »Wo-woher ... Ha! Dich kenne ich! Du bist doch der kleine Drache! Äh, Muskatnuss?«

»Kokosnuss.«

»Richtig! Und da ist ja auch das Stachelschwein, äh, Mi-, äh, Ma-, äh, Marmelade, äh, Makrele?«

»Matilda heiße ich!«, sagt Matilda empört. »Hast du uns einen Schrecken eingejagt!«

»Das nennst du Schrecken?«, erwidert Gerd. »Ihr
seid ja nicht einmal davongelaufen!«
Willi Dachs kommt ein Verdacht: »Sag mal, bist
du das Gespenst, das seit ein paar Tagen im Wald
sein Unwesen treibt?«
Gerd blickt zu Boden und sagt leise: »Irgendwo
muss ich doch spuken. Im Flaschenland hat sich
niemand vor mir gegruselt.[3] Ich habe ja auch
nicht einmal einen Gespenster-Umhang.
Holunder hat mir von Klippenstein erzählt und
dass ich hier vielleicht das Spuken lernen könnte.

[3] Siehe »Der kleine Drache Kokosnuss und der große Zauberer«. Dort
spukt Gerd im Schloss des Zauberers Holunder, das im Flaschenland liegt.

Dafür habe ich mir extra schicke Sachen ange-
zogen. Doch dann habe ich Klemenzia gesehen
und ...«

»Bist vor Angst in den Wald gezogen und er-
schreckst jetzt Hasen und Igel!«, brummt Willi.

»Spuken ist nun mal mein Beruf«, entschuldigt
sich Gerd. »Und ich dachte, im Wald kann
ich gut üben, damit ich mich eines Tages bei
Klemenzia vorstellen kann.«

»Hat Klemenzia dich denn schon einmal gesehen?«, fragt Kokosnuss.

»Äh, ich glaube nicht, wieso?«

Der kleine Drache überlegt. »Hm, Friedrich, zeig
doch mal deine Zähne!«

Das Dachskind kommt vorsichtig hervor und
grinst mit seinem Vampirgebiss.

»Bah! Ein Vampir!«, schreit Gerd und flitzt vor
Schreck hinter den Schrank zurück.

»Das ist nur ein Plastikgebiss!«, sagt Kokosnuss.

»Wenn du es trägst, siehst du aus wie ein Vampirgeist. Damit könntest du Klemenzia erschrecken.«

Gerd sieht vorsichtig zu Friedrich hinüber:

»Aber ... dann wäre Klemenzia doch wütend auf
mich.«

»Sicher nur im ersten Moment«, sagt Willi
Dachs. »Als Experte für Gespensterkunde kann
ich dir versichern, dass du Klemenzia damit sehr
beeindrucken würdest. Vielleicht dürftest du
danach sogar im Schloss wohnen. Wir Wald-
bewohner hätten wieder unsere Ruhe und
Klemenzia hätte endlich Gesellschaft. Wirklich
eine sehr gute Idee, kleiner Drache.«
Gerd schluckt. »Ich weiß nicht.«
In diesem Augenblick schlägt es ein Uhr.
»Huch!«, ruft Gerd und ist im selben Augenblick
in der Truhe verschwunden.
»Warte!«, ruft Kokosnuss.
»Zu spät«, sagt Willi. »Die Geisterstunde ist
vorbei.«

Ein Vampirgeist!

»Dolles Ding!«, grinst Großvater Dachs, als die anderen von ihrem Plan berichten.

»Wenn dieser Gerd überhaupt mitmacht«, murmelt die Großmutter stirnrunzelnd.

»Hm«, überlegt Kokosnuss. »Gerd macht bestimmt mit. Wir müssen nur die Truhe ins Schloss hinaufbringen. Wenn es Mitternacht schlägt und Gerd aufwacht, geben wir ihm schnell das Gebiss und verstecken uns.«

Willi Dachs rührt nachdenklich in seiner Teetasse: »Ich schätze, der Gerd ist ein Gespenst der Spukklasse ›3a Babyschreck‹. Das ist, ehrlich gesagt, so ziemlich die allerunterste Spukklasse. Hoffentlich merkt das die Klemenzia nicht.«

»Vielleicht könnten wir noch einen schwarzen Umhang mit Kapuze auftreiben«, schlägt Matilda vor. »Damit sieht sogar Gerd aus wie ein Vampirgeist!«

»Gute Idee, Matilda!«, sagt Kokosnuss.

Plötzlich merkt er, dass er müde ist wie ein
Murmeltier vor dem Winterschlaf. Matilda geht
es genauso und so übernachten die beiden bei
Familie Dachs. Bis weit in den nächsten Tag
hinein schlafen sie, so erschöpft sind sie von dem
Abenteuer mit Klemenzia.

»Heda, ihr zwei, aufwachen!«, ruft Willi Dachs.
»Bald geht die Sonne unter und wir haben noch
einen weiten Weg vor uns!«

Mit einem schwarzen Umhang, den Großmutter
Dachs aus einem alten Vorhang genäht hat, und
der Truhe mit dem schlafenden Gerd darin
machen sich Kokosnuss, Matilda und Willi Dachs
auf zum Schloss Klippenstein.

Wieder weist ihnen das Licht den Weg.
»Das ist ein Spuklicht«, erklärt Willi. »Es soll
nachts Wanderer anlocken.«
Und wieder ist das Licht erloschen, als sie
vor dem geöffneten Schlosstor stehen. Als sie
das Schloss betreten, fallen Tor und Tür hinter
ihnen zu, genau wie in der Nacht zuvor.

Unruhig warten die Freunde im Schlosssaal auf die Geisterstunde. Als die Standuhr zwölfmal schlägt, öffnet Kokosnuss schnell die Truhe.

»W-wo bin ich?«, stottert Gerd verschlafen. Doch als er sich umblickt, versteht er: »Oh nein! Kli-Kli-Klipp-Klipp-Klippenstein!«

»Hier, das Gebiss!«, flüstert Kokosnuss.

»Und hier«, sagt Matilda, »ein Umhang!«

Gerd schluckt. »Umhang? W-Was soll ich denn mit ... ?«

In diesem Augenblick hören sie ein schauderhaftes Heulen. Die Freunde zucken zusammen. Gerd ist vor Schreck erstarrt: »Kle-Kle-Kle-Klemenz-z-z-z-z-zia!«

Und – zack! – ist er wieder in seiner Truhe verschwunden. Die anderen zerren am Deckel, doch Gerd hält ihn mit aller Gespensterkraft von innen fest.

»Gerd, bitte lass uns nicht im Stich!«, flüstert Kokosnuss.

Plötzlich fliegt die Tür auf und eine gespenstische Stimme hallt durch den Saal: »Was geht hier vor?«

Im Türrahmen steht Klemenzia Klabuster von Klippenstein. Mit blitzenden Augen starrt sie auf die drei Besucher. Ein Riesenschreck ist den Freunden in die Glieder gefahren. Schnell lassen sie von der Truhe ab.

Im selben Moment zischt Klemenzia
fauchend auf sie zu. Matilda und Willi
springen blitzschnell hinter die Truhe.
Kokosnuss aber fasst sich ein Herz, fliegt
Klemenzia entgegen und speit Feuer.

Das Gespenst schert sich nicht um das Drachen-
feuer und packt Kokosnuss am Schwanz. Der
kleine Drache flattert und zappelt hin und her,
doch die Geisterhand hält ihn mühelos fest.

»Sieh an, der kleine Drache und seine Freunde«,
sagt Klemenzia eisig. »Was habt ihr in der Truhe
versteckt?«

»Da ist ... da ist ...«, stottert Willi.

»Die Truhe«, antwortet Kokosnuss schnell, »würde
ich an deiner Stelle lieber nicht öffnen!«

»Soso«, erwidert Klemenzia harsch. »Und warum
nicht?«

»Da ist ...«, beginnt Kokosnuss, schluckt und sagt
ganz laut, »... ein Vampirgeist drin!«

Für einen kurzen Moment ist es still. Kokosnuss,
Matilda und Willi halten den Atem an. Plötzlich
bricht Klemenzia in ein gespenstisch schauderhaftes Gelächter aus, wie es Schloss Klippenstein
noch nicht gehört hat.

»Huhuhuhahahahahahahahahihihihihihühühü-
hühü! Ein Vam-, ein Vam-, ein Vampipipipipippir-
geist, huhuhuhuhuhaha!«

Mit einem Mal aber krächzt sie böse: »Wollen
wir doch einmal sehen, was wirklich darin
verborgen ist!«
Sie lässt den kleinen Drachen los und schwebt
zur Truhe hinüber.

Zitternd beobachten die drei Freunde, wie sich das Gespenst anschickt, die Truhe zu öffnen.

»Tu es lieber nicht!«, ruft Matilda.

»Es ist unheimlich gefährlich!«, ruft Kokosnuss.

»Es wird dich von den Socken reißen!«, ruft Willi.

Mit einem Ruck klappt Klemenzia den Deckel der Truhe auf. Sie stutzt. Unter einem schwarzen Umhang bewegt sich etwas. Plötzlich blickt sie in ein helles Gesicht. Als der breite Mund sich öffnet, stockt ihr der Atem: Ein Vampir! Blitzschnell schlägt Klemenzia den Deckel zu und setzt sich auf die Truhe.

»Oh, oh, oh Backe!«, presst sie schlotternd hervor und schluckt. »W-w-was mach ich jetzt bloß?« Verzweifelt blickt sie auf Kokosnuss und seine Gefährten. »D-da i-ist ein Vampirgeist drin!«, flüstert das Gespenst.

»Das haben wir dir doch gesagt«, erwidert Kokosnuss.

»W-wenn ich jetzt g-ganz ruhig d-davonschwebe, k-kommt er v-vielleicht nicht raus«, stottert

Klemenzia. Vorsichtig bewegt sie sich von der
Truhe weg. Da klappt der Deckel auf.
Klemenzia erstarrt.
Das Vampir-Geschöpf im schwarzen Umhang
rauscht aus der Truhe heraus, fletscht seine

spitzen Zähne und gibt ein gräuliches Heulen von sich: »Buhuhuuuuuu! Buhuuuuu!«
Plötzlich fliegt es eine enge Kurve, kneift die Augen zu, murmelt »Ohgottogottogott!« und schwebt einmal direkt durch Klemenzia hindurch. Klemenzia rührt sich nicht. Ihre Augen sind weit aufgerissen. Plötzlich schreit sie: »Rette sich, wer kann!« Und schnell wie ein Blitz zischt sie durch die Tür hinaus ins Freie.

Der kopflose Gerd

Zuerst ist es still im Schlosssaal. Kokosnuss, Matilda, Willi Dachs und Gerd lauschen, doch Klemenzia ist fort.

»Der hast du es aber gegeben«, flüstert Willi Gerd zu.

»Sie hat es wirklich geglaubt!«, sagt Kokosnuss und schüttelt den Kopf.

»Hihi, was sie für ein Gesicht gemacht hat«, grinst Matilda erleichtert.

»Manno, hatte ich einen Bammel!«, flüstert Gerd.

»Jetzt bist du jedenfalls nicht mehr Spukklasse ›3a Babyschreck‹«, sagt Willi. »Die Vorstellung war locker ›2b Spezialspuk‹!«

»Wow!«, murmelt Gerd stolz. »›2b Spezial‹!«

Kokosnuss reicht dem Gespenst die Pfote:
»Komm, wir müssen Klemenzia suchen! Du musst dich ihr jetzt vorstellen und ihr alles erklären.«

Zögernd folgt Gerd Kokosnuss nach draußen.
Die beiden suchen den Schlosshof und den
Friedhof ab, doch Klemenzia ist nirgends
zu finden. Da hören sie ein fernes Wimmern.
»Sieh mal!«, sagt Gerd. »Die Turmspitze!«
Tatsächlich: Klemenzia klammert sich an der
Spitze des Schlossturmes fest.
Langsam und vorsichtig fliegen die beiden
hinauf.

»Kommt mir bloß nicht zu nahe!«, stöhnt Klemenzia mit zittriger Stimme. Ängstlich kneift sie ihre Augen zu.

»Aber Gerd ist doch gar kein echter Vampirgeist«, erklärt Kokosnuss. »Er wollte dir nur einen Schrecken einjagen.«

Da öffnet Klemenzia ein Auge und schielt zu Gerd hinab. »Kein echter Vampirgeist?«

Gerd bibbert vor Angst, doch er gibt sich einen Ruck und nimmt das Gebiss heraus.

»Es ... es ist nur ein Plastikgebiss«, sagt er.

Da öffnet Klemenzia auch ihr zweites Auge. »Nur Plastik?« In ihrer Stimme schwingt eine Spur Ärger mit.

»Ja, äh, und ich bin Gerd, Gespenst der Spukklasse ›3a Baby‹ ... äh, nee, ›2b Spezialspuk‹.«

»Ein Plastikgebiss!«, ruft Klemenzia empört.
»Unverschämtheit!« Aufgebracht fliegt sie hin
und her.
Erschrocken weichen Kokosnuss und Gerd
zurück. Was, wenn sie jetzt wütend wird?
Klemenzia aber wirft den Kopf zurück und bricht
in schallendes Gelächter aus: »Hahaha! Huhuhu!
Dann war das Ganze nur ein Spuk! Das ist gut,
das ist sehr gut, das ist echt spuki, hahaha!«

Sie schwebt auf Gerd zu. Der zieht den Kopf ein, doch Klemenzia drückt ihn an ihre Brust und sagt: »Gut gemacht, Kumpel! Wie heißt du noch gleich?«

»Äh, Gerd.«

»Nun ja, nicht gerade ein passender Name für ein Gespenst«, brummt Klemenzia. »Wie sieht's aus, brauchst du eine neue Gruft? Ich hätte im Schloss noch etwas frei.«

»Oh, ja, oh, gerne!«, antwortet Gerd. »Und, äh, könntest du mir ein paar Dinge beibringen, zum Beispiel, wie ich mit meinem Kopf spuken kann?«

»Nichts leichter als das!«, ruft Klemenzia, nimmt Gerds Kopf und wirft ihn in die Luft. »Achtung! Auffangen!«

Doch Gerds Kopf fällt zu Boden und kullert in einen Busch.

»Wo bin ich?«, ruft er. Sein Körper irrt hin und her, doch seinen Kopf findet er nicht.

»Hm«, murmelt Klemenzia nachdenklich. Sie schnappt sich den Kopf und setzt ihn wieder auf Gerds Körper.

»Oh, äh, danke«, stottert Gerd.

»Mit ein bisschen Übung wirst du es schon lernen«, sagt Klemenzia. »Doch jetzt lasst uns feiern!«

So kommt es, dass Gerd, das Gespenst aus dem Flaschenland, auf Schloss Klippenstein das Spuken lernt. Das richtige Spuken, wohlgemerkt. Den kopflosen Spuk beherrscht er bald so perfekt, dass er den Ehrennamen »Gerd der Kopflose« erhält. Er bekommt sogar einen richtigen Gespenster-Umhang. Klemenzia aber freut sich, dass sie nicht mehr allein ist, und verliert ihre Griesgrämigkeit.

Die beiden werden ein berühmtes Gespenster-paar, so berühmt, dass Schloss Klippenstein zu einem der am besten besuchten Spukschlösser der Welt wird.

Im Klippenwald herrscht bald wieder das übliche Geraschel, Gezirpe, Gezwitscher und Gequassel, denn die Waldtiere kehren nach und nach zurück.

Und Kokosnuss und Matilda? Die beiden haben am Ende doch noch das Drachenkraut gefunden. Allzu viel davon haben sie aber nicht gesammelt, denn sie wollen möglichst bald wieder in den Klippenwald reisen, um Familie Dachs zu besuchen und in Schloss Klippenstein die Geisterstunde zu erleben.

Foto: privat

Ingo Siegner, 1965 in Hannover geboren, wuchs in Groß-
burgwedel auf. Nach Schule und Zivildienst wurde er
Sparkassenkaufmann, ging als Au-Pair nach Frankreich,
steckte seine Nase in die Universität und landete schließ-
lich bei Vamos, einem hannoverschen Veranstalter für
Familienreisen. Auf vielen Reisen erfand er für die Kinder
fantastische Geschichten. Nebenher brachte er sich das
Zeichnen bei. Mit seinen Büchern vom kleinen Drachen
Kokosnuss, die in mehrere Sprachen übersetzt sind,
eroberte er auf Anhieb die Herzen der jungen LeserInnen.
Ingo Siegner lebt als Autor und Illustrator in Hannover.

Ingo Siegner

Der kleine Drache Kokosnuss
und der Schatz im Dschungel

72 Seiten, mit farbigen Illustrationen, ISBN 978-3-570-13645-4

Der kleine Drache Kokosnuss und seine Freunde Matilda und Oskar finden beim Spielen ein kleines Stück Leder, auf dem ein seltsames Bild eingezeichnet ist. Die kluge Matilda erkennt sofort, dass das der Felsen unweit der Stachelschwein-Höhle sein muss. Hier ist sicher ein Schatz versteckt! Doch anstelle von Gold und Diamanten finden die drei Freunde einen weiteren Teil der Schatzkarte. Diese führt sie mitten in einen gefährlichen Dschungel. Doch am Ende ihrer abenteuerlichen Reise wartet eine große Überraschung ...

www.cbj-verlag.de

Ingo Siegner

Der kleine Drache

Kokosnuss

**Der kleine Drache Kokosnuss
auf der Suche nach Atlantis**
ISBN 978-3-570-15280-5

**Der kleine Drache Kokosnuss
und die starken Wikinger**
ISBN 978-3-570-13704-8

**Der kleine Drache Kokosnuss
und das Geheimnis der Mumie**
ISBN 978-3-570-13703-1

**Der kleine Drache Kokosnuss
und das Vampir-Abenteuer**
ISBN 978-3-570-13702-4

8245

www.cbj-verlag.de